Y Crys Rhif Saith

gan

Alan Gibbons

Addasiad Gordon Jones

Darluniau gan Aleksandar Sotirovski

Argraffiad Cymraeg cyntaf 2012

ISBN 978-1-78112-144-3

Teitl gwreiddiol: *The Number 7 Shirt*

Cyhoeddwyd gyntaf ym Mhrydain yn 2010 gan Barrington Stoke Ltd.,
18 Walker Street, Edinburgh, EH3 7LP.

Cyhoeddwyd yn Gymraeg ym Mhrydain yn 2012 gan Barrington Stoke Ltd.,
18 Walker Street, Edinburgh, EH3 7LP.

Noddwyd gan Lywodraeth Cymru.

Argraffwyd ym Mhrydain gan Bell a Bain Cyf, Glasgow.

Cynnwys

1	Carwyn a George	1
2	Y Treialon	10
3	Carwyn a Bryan	15
4	Carwyn ac Eric	24
5	Carwyn a David	34
6	Carwyn a Cristiano	44

Pennod 1
Carwyn a George

Carwyn Beech ydw i. Dwi am fod yn bêl-droediwr. Dyma fy stori.

Tyrd i edrych ar fy llyfr lloffion. Mae lluniau a hanes fy holl gemau ynddo. Weli di'r llun ar y dudalen flaen? Tîm iau Cefn Einion oedd fy nhîm cyntaf. Iddyn nhw ro'n i'n chwarae pan ddaeth sgowt o Manchester United acw. Fi ydy hwnna yn y crys rhif saith.

Paid â chwerthin. Dwi'n gwybod fod steil fy ngwallt braidd yn od. Ond dim ond naw oed o'n

i. Mam aeth â fi i gael torri fy ngwallt. Dwi'n 14 nawr. Dwi'n mynd i dorri fy ngwallt ar fy mhen fy hun erbyn hyn.

Mi sgoriais bedair gwaith y diwrnod y daeth y sgowt. Mark oedd ei enw. Ro'n ni i gyd yn gwybod pwy oedd e. Roedd pawb am wneud yn dda. Roedd pawb am chwarae i Manchester United. Does 'run tîm yn well na nhw.

Mae Man U wastad wedi bod yn rhan o 'mywyd. Ers i mi gofio. Mae Dad yn ffan. Mam hefyd. Hyd yn oed fy chwaer ac mae hi'n od. Mae hi yn Goth ac yn debyg i fampir.

Mae posteri o holl chwaraewyr Man U ar waliau fy stafell. Rhai o'r hen ddyddiau hefyd. Fy hoff chwaraewyr ydy'r rhai a wisgodd grys rhif saith United – Georgie Best, Bryan Robson, Eric Cantona, David Beckham, Cristiano Ronaldo. Nhw ydy fy arwyr.

Byddi di'n meddwl fod hyn yn ddwl, ond dwi'n siarad â nhw. Dwi'n esgus 'mod i'n gallu eu gweld go iawn. Fel petaen nhw'n sefyll o

’mlaen i. Weithiau dwi’n teimlo eu bod yn fy ateb i. Bydda i’n gofyn am eu cyngor, yn enwedig pan dydy pethau ddim yn mynd yn dda.

Wnaeth pethau ddim dechrau’n dda pan ddaeth Mark i ’ngweld i’n chwarae y tro cyntaf. Wyt ti’n cofio mai Mark ydy sgowt Man U? Ro’n i mor gyffrous, ro’n i’n methu symud bron. Roedd fy nghoesau fel jeli. Pob tro ro’n i’n cael y bêl, ro’n i’n ei cholli. Pob tro ro’n i’n mynd i ergydio byddai’r bêl yn mynd o dan fy nhraed ac yn fy maglu. Os oedd y bêl yn mynd am y gôl, roedd yr ergyd yn wan a’r golwr yn ei dal heb lawer o drafferth.

Dechreuais wylltio. Dyna ro’n i’n arfer ei wneud pan fyddai pethau’n mynd o chwith. Byddwn yn ddig wrtho i fy hun. Wedyn mynd yn ddig wrth bawb arall. Gwelais Dad yn ysgwyd ei ben. Pe bawn i’n dal ati fel hyn, byddwn yn cael fy eilyddio.

Roedd rhaid i mi wneud rhywbeth. Felly, fel y dywedais, dyma esgus bod un o hen chwaraewyr Man U yn sefyll wrth fy ochr. Siaradais â Georgie. Georgie Best.

Dywedodd George wrtho i am anghofio am y sgowt. Dangos beth rwyt ti'n gallu ei wneud, meddai.

Y tro nesa i mi gael y bêl, gwnes fel y dywedodd. Cadwais fy llygad ar y bêl. Wnes i ddim edrych ar Mark. Wnes i ddim edrych ar Dad. Roedd fy meddwl ar y gêm a dim byd arall. Gwyrais i un ochr. Gwyrais i'r ochr arall. Creu gofod i fi fy hun. Pan welais y gôl rhwng dau amddiffynnwr, ergydiais. Trawodd y bêl gefn y rhwyd. Gwych!

Sgoriais dair gwaith ar ôl hynny. Y gôl orau oedd honno pan basiodd fy mêt gorau Carl y

bêl i'r cwrt cosbi. Gwyrais a chadw fy mhen yn isel. Wedyn ciciais y bêl â thu mewn fy nhroed. Hedfanodd fel bwled heibio'r golwr a bron iddi dorri'r rhwyd.

Ar ddiwedd y gêm, aeth Mark draw i siarad â Dad. Gofynnodd a hoffwn fynd am dreial.

George Best

Bachgen o Belfast

- Dywedodd Pelé mai George oedd pêl-droediwr gorau'r byd. Roedd Maradona hefyd yn meddwl ei fod yn un o oreuon y byd.

- Ganwyd George ar Mai 22, 1946 yn nwyrain Belfast.

- Pan welwyd George gan Bob Bishop, sgowt Manchester United yn Belfast, anfonodd delegram at Matt Busby, rheolwr United. "Dwi wedi dod o hyd i athrylith," meddai.

- Dros chwe thymor sgoriodd George Best 115 gôl mewn 290 o gemau. Enillodd United y Bencampwriaeth ddwywaith.

- Pan drechodd Man U Benfica o Bortiwgal 5–1 oddi cartref yng Nghwpan Ewrop, daeth George yn ôl yn gwisgo het sombrero. Cafodd ei enwi yn 'El Beatle' gan y papurau newydd. Mae 'el' yn golygu 'y' yn Sbaeneg ac roedd yn cael ei alw yn 'El Beatle' am ei fod mor enwog â'r Beatles, grŵp pop mwyaf enwog y byd.

⚽ Yn 1968 curodd Manchester United Benfica 4–1 unwaith eto. Sgoriodd George un o'r goliau.

⚽ Y flwyddyn honno cafodd ei enwi'n Chwaraewr y Flwyddyn yn Ewrop.

⚽ Yn anffodus dechreuodd George yfed yn drwm a daeth ei yrfa yn United i ben pan oedd yn ddim ond 26 oed.

⚽ Meddai George amdano'i hun, "Pan fydda i wedi mynd bydd pobl yn anghofio'r clecs i gyd a dim ond yn cofio am y pêl-droed. Bydd hynny'n ddigon i mi."

Pennod 2
Y Treialon

Roedd 30 o blant yn y treial cyntaf. Parhaodd am awr. Ymarfer techneg a sgiliau wnaethon ni. Wedyn chwarae gemau pump-bob-ochr. Mi wnes i'n iawn ond gwnaeth y bechgyn eraill yn dda hefyd. Fi oedd chwaraewr gorau tîm Cefn Einion. Ond nid fi oedd y chwaraewr gorau yma. Y bechgyn hyn oedd y rhai gorau o blith yr holl dimau iau. Roedd llawer o gystadleuaeth ac ro'n i'n poeni. Beth petai Mark am i mi fynd adref? Beth petawn i ddim yn ddigon da?

Ar ôl newid dyma aros i weld sut yr aeth hi. Daeth Dad draw. Roedd yn gwenu fel giât.

"Mi wnest ti'n dda," meddai. "Maen nhw am i ti ddod yn ôl yr wythnos nesa."

Roedd hi'n anodd cysgu'r noson honno. Ro'n i'n troi a throsi am oriau. Yn y diwedd gwnes i gynnau'r golau ac edrych ar luniau fy hoff chwaraewyr ar y wal. Dychmygais sut deimlad fyddai chwarae i United. Rhyw ddiwrnod efallai y byddai poster ohono i'n chwarae i United. Dychmyga hynny! Meddyliais sut deimlad fyddai chwarae o flaen 76,000 o gefnogwyr.

O'r diwedd dyma syrthio i gysgu a breuddwydio. Ro'n i'n chwarae yn Old Trafford. Yn gwisgo'r crys rhif saith. Gallwn glywed y dorf yn gweiddi. Fi oedd seren y gêm. Sgoriais dair gôl. Cefais gadw'r bêl. Ond ar ôl deffro ro'n i'n dal yn fachgen naw oed oedd yn gorfod mynd i'r ysgol.

Cefais ail dreial yr wythnos wedyn. Drwy'r bore yn yr ysgol allwn i ddim meddwl am ddim

byd arall. Dywedodd yr athro'r drefn am fy mod i'n breuddwydio. Doedd dim ots gen i. Ro'n i'n mynd i'r ysgol bob dydd ond nid pob dydd mae rhywun yn cael treial gyda Manchester United.

Aeth Dad â fi i'r treial y prynhawn hwnnw. Cafodd air â fi wrth adael y car.

"Anghofia am y sgowt," meddai. "Dim ond dangos beth rwyt ti'n gallu ei wneud."

Chwerthin wnes i.

"Dyna ddywedodd Georgie," atebais.

"Georgie?" holodd Dad. "Georgie pwy?"

Do'n i ddim yn gwybod sut i esbonio.

"Dim ots," meddwn i.

Aeth y treial yn dda, yn well na'r un cyntaf. Do'n i ddim yn nerfus ac aeth popeth yn iawn. Y tro hwn ro'n i'n gwybod mai fi oedd y chwaraewr gorau.

Gofynnodd y clwb i Dad a o'n i am arwyddo cytundeb fel chwaraewr ysgol. Oeddwn, oedd ateb Dad, wrth gwrs.

Ychydig ddyddiau wedyn daeth llythyr yn dweud y gallwn ymuno ag Academi Man U. Fframiodd Mam y llythyr.

Pennod 3
Carwyn a Bryan

Felly ymunais ag Academi dan-10 oed Manchester United. Mae gan y rhan fwyaf o glybiau mawr Academi. Dyma lle maen nhw'n hyfforddi chwaraewyr ifanc unwaith eu bod yn ddigon hen.

Bu'n rhaid i mi weithio'n galed. Byddwn yn hyfforddi tair noson yr wythnos ar ôl ysgol. Ro'n i'n mwynhau hyfforddi. Roedd rhywbeth newydd i'w ddysgu o hyd. Ond y peth gorau gen i oedd bore Sul. Byddai gêm gystadleuol go iawn bryd hynny. Dyna beth yw holl bwrpas pêl-droed. Pob dydd Sul bydden ni'n chwarae yn erbyn tîm Academi clwb proffesiynol arall.

Y tro cyntaf y chwaraeais i'r tîm newydd ro'n i'n ysu am wneud yn dda. Ro'n i'n gweiddi am y bêl drwy'r adeg. Weithiau byddwn i'n ei chael, ond nid yn aml. Dyna brofiad rhwystredig! Sut y gallwn i sgorio heb gael y bêl? Pan fyddwn i ddim yn derbyn pàs, byddwn yn rhedeg ar ôl y bêl i'w chael.

Un tro, ro'n i'n rhy frwd. Gwthiais aelod o 'nhîm fy hun oddi ar y bêl. Nid y peth iawn i'w wneud ond doedd dim ots gen i. Ro'n i'n well chwaraewr nag ef. Dyna roedd pawb yn ei ddweud. Yr eiliad nesa clywais bawb yn gweiddi arnaf. Chymerais i ddim sylw. Dim ond un peth oedd ar fy meddwl. Rhedais ar hyd yr ystlys a churo dau chwaraewr. Yna i mewn i'r cwrt cosbi ac ergydio. Bu bron i'r bêl dorri'r rhwyd. Codais fy mreichiau a rhedeg hyd y cae. Fi oedd y seren y tro hwn.

Ond doedd yr hyfforddwr ddim yn cytuno. Doedd e ddim yn meddwl mai fi oedd y seren o gwbl. Ro'n i'n rhy hunanol, meddai. Pan ganodd y chwiban olaf, galwodd fi draw ato.

"Sut rwyt ti'n meddwl wnest ti?" holodd.

"Mi sgoriais," atebais. "Wnaethoch chi ddim gweld y gôl?"

"Do, mi wnest ti," meddai. "Ond collon ni'r gêm 2–1. Roeddet ti'n rhy hunanol. Yn meddwl amdanat ti dy hun. Dylet ti fod yn chwarae i'r tîm."

Do'n i ddim yn gallu deall pam doedd e ddim yn hapus. Curais ddau chwaraewr. Sgoriais. Beth mwy oedd i'w wneud? Nid fy mai i oedd hi fod gweddill y tîm wedi chwarae'n wael. Cerddais oddi yno a 'mhen yn isel. Ro'n i mewn hwyliau drwg drwy'r dydd. Dim ond un dyn y gallwn i ei holi am y gêm. Bryan Robson oedd hwnnw, un o gapteiniaid gorau United.

Dywedodd Bryan mai dim ond meddwl amdana i fy hun o'n i. Mi wnes i sgorio ond collodd y tîm, a gêm i dîm yw pêl-droed. Rhaid i mi wneud popeth dros y tîm.

Cefais fy newis eto y dydd Sadwrn canlynol. Ar gyfer y darbi lleol yn erbyn tîm dan-10 Manchester City. Y tro hwn ro'n i'n gwybod fy mod yn chwarae i gadw fy lle yn y tîm. Roedd y staff hyfforddi yn fy ngwylio. Roedden nhw am weld beth y gallwn i ei wneud. Ro'n i eisoes yn gwybod. Dyw bod yn hunanol ddim yn helpu neb. Roedd y tîm yn fwy nag un chwaraewr.

Roedd City yn dda. Aethon nhw ar y blaen o 2–1. Y tro hwn do'n i ddim yn cadw'r bêl yn rhy hir. Ro'n i'n pasio i'r chwaraewyr eraill. Ro'n i'n rhedeg i mewn i'r cwrt cosbi. Chwaraeais dros y tîm.

Yn gyntaf, dyma roi'r bàs a ddaeth â'r gêm yn gyfartal. Wedyn enillais y gic gosb a allai ein rhoi ni ar y blaen. Dwi'n meddwl fod rhai o'r bechgyn yn disgwyl i mi gydio yn y bêl a chymryd y gic fy hun. Ond ro'n i wedi dysgu fy ngwers. Chris oedd yn cymryd y ciciau cosb. Rhoddais y bêl iddo ac fe sgoriodd.

Fe sgoriais i ddwy waith ar ôl hynny. Enillon ni 5–3 yn y diwedd. Ond nid hynny oedd y peth gorau. Daeth yr hyfforddwr ata i a dweud fy mod wedi gwneud yn dda.

“Mi wnest ti ddod yn chwaraewr tîm heddiw,” meddai. “Ry’n ni wedi bod yn chwilio am gapten i’r tîm. Dwi’n meddwl ein bod ni newydd ddod o hyd iddo.”

Y dydd Sul canlynol gwisgais rwymyn y capten. Ro’n i mor falch.

Bryan Robson

Y Capten Campus

- Ganwyd Bryan Robson ar Ionawr 11, 1957 yng Ngogledd Ddwyrain Lloegr.
- Daeth yn gapten Manchester United a Lloegr.
- Sgoriodd 99 gôl mewn 437 o gemau.
- Ef yw'r unig un i arwain tîm a lwyddodd i ennill cwpan yr FA dair gwaith.
- Enillodd brif Bencampwriaeth Lloegr ddwywaith gydag United yn 1993 a 1994.
- Enillodd Gwpan Enillwyr Cwpanau Ewrop gydag United yn 1991.

Pennod 4
Carwyn ac Eric

Pob tymor, bydd y clwb yn edrych ar y bechgyn ym mhob grŵp blwyddyn. Maen nhw'n gadael i bump neu chwech fynd. Mae'r hyfforddwyr yn mynd â nhw i'r naill ochr. Maen nhw'n dweud wrthyn nhw dy'n nhw ddim yn debyg o lwyddo. Ro'n i'n meddwl fy mod i wedi gwneud yn dda ond ro'n i'n dal i boeni.

Ar ddiwedd y flwyddyn gyntaf, roedd y clwb wedi paratoi adroddiad ar fy mherfformiad.

Gwnaeth Mam a Dad ei ddarllen wedyn ei roi i mi. Bron na allwn ei ddarllen.

Dyma beth oedd ynddo –

Sgiliau Pêl

Rheolaeth: *Da iawn.*

Pasio: *Da iawn. Rhaid iddo ddysgu sut i basio â'r ddwy droed.*

Stamina: *Da iawn.*

Cryfder: *Da iawn.*

Cyflymdra: *Da iawn.*

Gwaith Tîm

Darllen y gêm: *Da iawn. Mae dod yn gapten wedi gwella'i gêm.*

Agwedd: *Weithiau mae Carwyn yn gallu bod yn hunanol. Mae dod yn gapten wedi gwella'i waith tîm. Mae'n gweithio'n galed ac yn gwrando ar yr hyfforddwyr (gan amlaf). Mae'n awyddus iawn i lwyddo. Mae'n sgoriwr naturiol. Mae ei sgiliau pêl-droed yn ardderchog. Dal ati!*

Do'n i ddim yn hoffi'r sôn am fod yn hunanol. Ro'n i wedi gweithio ar hynny. Do'n i ddim yn siŵr a oedd yr adroddiad yn un da ai peidio. Do'n i ddim am i'r clwb adael i mi fynd.

Wedyn cefais y newyddion. Roedd yr hyfforddwyr yn meddwl fy mod i wedi gwneud yn dda. Roedden nhw am i mi ddod yn ôl am flwyddyn arall. Nid dyna'r cyfan. Rhoeson nhw fi yn y tîm dan-12 a do'n i ddim yn 11 eto!

Ond y tymor hwnnw roedd gen i broblem arall. Ro'n i'n iau na'r bechgyn eraill. Roedd rhai o'r chwaraewyr yn fy marcio'n galed. Un dydd roedd un bachgen nid yn unig yn gryf ond yn frwnt. Ro'n i'n gyflymach ac felly dechreuodd fy maglu. Byddai'n fy nghicio bob tro y byddwn yn cael y bêl. Ro'n i am i'r dyfarnwr wneud rhywbeth. Ond doedd e ddim yn cymryd sylw. Wedyn cawson ni gic gornel. Neidiais i geisio penio'r bêl. Tynnwyd fy nghrys gan fy marciwr ac fe gwympais. Codais a gweiddi am gic gosb. Ysgydwodd y dyfarnwr ei ben.

Wel, dyna ni. Rhedais ar ei ôl gan weiddi. Dywedodd wrtho i am gallio ond allwn i ddim derbyn y penderfyniad. Ro'n i'n gwybod fy mod i'n iawn felly daliais ati i weiddi. Wedyn mi welais y bachgen a dynnodd fy nghrys a'i wthio. Cwympodd fel petai wedi cael ei saethu.

Yn wahanol i gêm go iawn, yn yr Academi dy'n nhw ddim yn dangos cerdyn coch am ymddwyn yn ddrwg. Maen nhw'n penderfynu fod chwaraewr wedi gwneud smonach ac yn rhoi rhywun arall ar y cae yn ei le. Does dim cosb wedyn. Pan dynnwyd fi i ffwrdd, gwelais y bachgen arall yn chwerthin.

Dyna pan es i'n wyllt gacwn. Tynnais fy esgidiau a'u taflu ar y llawr.

Doedd yr hyfforddwyr ddim yn hapus.

"Paid â gwneud hynny eto," medden nhw. "Rhaid i ti dy reoli dy hun."

Do'n i ddim yn gallu derbyn hynny. Nid fy mai i oedd e. Y bachgen yna wnaeth fy maglu.

Ychydig ddyddiau wedyn clywais mai eilydd fyddwn i yn y gêm nesa. Ro'n i wedi colli fy lle oherwydd fy nhymer ddrwg.

Dim ond un peth oedd i'w wneud, holi fy arwyr. Ro'n i'n gwybod am chwaraewr oedd wedi mynd i drybini ac yna wedi ailddechrau ei yrfa. Un tro neidiodd i ganol y dorf a chicio un o'r cefnogwyr. Cafodd ei wahardd am fisoedd. Er hynny, daeth yn ôl i chwarae i Manchester United. Eric Cantona oedd hwnnw.

Paid â mynd i banig, meddai Eric. Bu'n rhaid i mi aros am fy nghyfle a phan ddes i yn ôl ro'n i'n chwaraewr gwell.

Chefais i ddim chwarae am ddwy gêm. Roedd eistedd ar y fainc yn gwylio'r bechgyn eraill yn fy lladd i. Wedyn, yn yr ail gêm, yn ystod yr egwyl, dywedodd yr hyfforddwyr wrtho i am baratoi. Ro'n i'n drwsgwl i ddechrau. Doedd pethau ddim yn mynd yn iawn. Ond daliais ati ac roedd pethau yn gwella o dipyn i beth. Cyn bo hir dechreuais chwarae'n dda a llwyddais i daro'r postyn ag ergyd wych.

Roedd y bachgen oedd yn fy marcio'n rhy araf i 'nal i. Dyma fi'n creu'r gôl nesa cyn sgorio un fy hun. Am fy mod yn rhy gyflym dyma'r bachgen yn fy maglu. Collais fy ngwynt yn lân wrth lanio'n drwm ar y ddaear. Dyma'r un bachgen yn fy maglu ymhen pum munud arall.

Ro'n i'n gwybod fod yr hyfforddwyr yn fy ngwylio a wnes i ddim gwylltio. Chwaraeais yn well. Llwyddais i osgoi ei dacl nesa a lobio'r bêl dros y golwr. Ro'n i'n gwybod ei bod yn gôl dda. Y gôl orau erioed i mi ei sgorio, efallai. Safodd pawb i guro dwylo. Gwenais wrtho i fy hun. Ro'n i 'nôl yn y tîm.

Eric Cantona

Y Brenin Eric

- Ganwyd Eric Cantona ar Mai 24, 1966 ym Mharis, Ffrainc a'i fagu ym Marseille.

- Sgoriodd 82 gôl i United mewn 184 gêm.

- Pan ymunodd ag United, enillwyd y teitl ganddyn nhw am y tro cyntaf mewn 26 mlynedd.

- Enillodd United yr Uwchgynghrair bedair gwaith a chwpan yr FA ddwywaith.

- Yn 1995 roedd cefnogwr yn gweiddi pethau hyll arno. Collodd Eric ei dymer a rhoi cic Kung Fu iddo. Cafodd ei wahardd rhag chwarae weddill y tymor hwnnw.

- Sgoriodd i United yn ei gêm gyntaf ar ôl iddo ddychwelyd.

- Mae cefnogwyr United yn dal i ganu ei enw a chario baneri Ffrainc.

Pennod 5
Carwyn a David

Dwi'n 14 erbyn hyn. Mae pethau'n llawer mwy difrifol nawr. Dwi wedi bod gyda'r Academi ers pum mlynedd. Mae mwy o hyfforddi, pedair noson yr wythnos yn lle tair.

Mae yna gystadleuaeth dramor eleni. Os caf fi fy newis, bydda i'n mynd i'r Almaen. Mae cwpan i'w ennill ar y diwedd. Dwi ar dân eisiau mynd. Mae breuddwyd pob bachgen yn y tîm yn dod yn nes – dod yn chwaraewr pêl-droed proffesiynol un dydd.

Mae safon fy chwarae wedi gwella'n fawr. Dwi a Chris, y bachgen y soniais wrthot ti amdano o'r blaen, yn rhannu'r ciciau rhydd. Ond fe sy'n cymryd y ciciau o'r smotyn i gyd. Dwi wedi sgorio sawl gôl o giciau rhydd eleni. Mae'n rhan bwysig o'r ffordd dwi'n chwarae.

Chwaraeon ni Lerpwl heddiw. Mae honno'n gêm fawr i ni. Mae 'na wastad lawer o gystadlu rhwng y ddau dîm. Ro'n i'n gwybod fod yn rhaid i mi berfformio'n dda er mwyn cael mynd i'r Almaen.

Roedd yn gêm galed, yn fwy anodd na'r arfer. Nhw sgoriodd gyntaf. Daethon ni'n gyfartal ac wedyn ar y blaen ar ôl i Chris sgorio â chic o'r smotyn. Sgoriodd Lerpwl eto ac yn sydyn roedd y ddau dîm yn gyfartal 2–2. Sgoriais i ddim ond dwi'n meddwl i mi chwarae'n iawn.

Nawr dwi'n eistedd yn y stafell newid yn aros i glywed a ydw i'n mynd i'r Almaen. Mae'r hyfforddwyr yn cerdded i mewn ac yn gosod enwau'r tîm ar yr hysbysfwrdd. Mae pawb yn tyrru ato ond dwi'n cadw draw. Dwi'n rhy ofnus i edrych. Ar ôl i'r rhan fwyaf adael, dwi'n mynd i edrych.

Dwi yn y garfan!

Mae mynd i chwarae i wlad dramor yn gyffrous iawn ac mae pawb yn edrych ymlaen at y gêm gyntaf. Ry'n ni'n ennill yn hawdd. Ac yn ennill yr ail gêm hefyd. Mae hynny'n golygu ein bod ni yn erbyn Ajax o'r Iseldiroedd yn y rownd gynderfynol. Mae ganddyn nhw Academi dda iawn. Mae eu chwaraewyr ymysg y goreuon yn Ewrop. Bydd yn rhaid i ni chwarae ein gorau glas yn y gêm hon.

Mae'n dechrau'n ddrwg. Mae'n cefnwr canol ni'n rhoi'r bêl yn ei rwyd ei hun ar ôl deng munud. Mae pethau'n mynd o ddrwg i waeth wrth i Ajax sgorio eto cyn yr egwyl. Eu hymosodwr yn dawnsio drwy ein hamddiffyn ni yn hawdd. Ry'n ni yn colli 2–0 erbyn yr egwyl a phawb yn eistedd yn dawel yn y stafell newid. Mae ein pennau'n isel. Mae'r hyfforddwyr yn gwneud eu gorau i'n cael ni i feddwl yn bositif ond dwi ddim yn siŵr a ydy hyn yn gweithio. Dwi'n gwneud yr hen dric eto. Dwi'n gwybod â phwy mae'n rhaid i mi siarad.

****

Mae Beckham yn dweud wrtho i am beidio â rhuthro a bod yn ddiamynedd. Dal i chwarae. Helpu dy fêts drwy roi esiampl dda iddyn nhw. Mae hi'n bosibl achub y dydd, hyd yn oed yn y munudau olaf. Dyna wnaeth Beckham dros United yn rownd derfynol Cynghrair y Pencampwyr yn erbyn Bayern Munich. Gwnaeth yr un peth dros Loegr yn erbyn Gwlad Groeg. Fe alla i wneud yr un peth.

Yn yr ail hanner dwi'n rhedeg ar ôl pob pêl. Dwi'n dechrau rhoi Ajax o dan bwysau. Am y tro cyntaf dy'n nhw ddim yn ymosod. Wrth i Chris weld fy mod yn cael hwyl arni mae yntau'n dechrau brwydro am bob pêl.

Cyn bo hir, ry'n ni yn y gêm. Mae'r meddiant yn gyfartal 50–50. Ond allwn ni ddim sgorio. Dwywaith dwi'n ergydio ac mae'r bêl yn crafu'r trawst. Mae Chris yn taro'r postyn. O leiaf ry'n ni'n ymosod.

Dim ond deng munud sydd ar ôl a dwn i ddim sut y bydd y gêm yn gorffen. Oes dihangfa, tybed?

Gwelaf Chris ar y dde a chroesi'r bêl ato. Mae'n ergydio foli ar draws y cwrt cosbi. Dim ond cyffwrdd y bêl sydd angen i mi ei wneud i sgorio. Taflaf fy hun ati. Teimlaf yn swp sâl wrth gicio dim byd ond awyr. Ond mae eu cefnwr nhw yn ceisio clirio'r bêl hefyd ac mae'r bêl yn hedfan oddi ar ei ben-glin ac i'r rhwyd. I'w rwyd ei hun.

Mae'r gôl wedi dod ar ôl yr holl bwysau a rois i ar eu hamddiffyn.

Mae Ajax yn ymateb ac mae'r gêm yn llifo o un pen y cae i'r llall. Mae'r gôl wedi eu brifo ac maen nhw'n ceisio gwneud yn siŵr fod y gêm y tu hwnt i'n cyrraedd ni. Ond nid dyna'r peth iawn i'w wneud. Petaen nhw'n cadw popeth yn dynn bydden nhw'n dal eu gafael yn y gêm. Ond maen nhw'n gadael llawer o fylchau. Dim ond dal ati sydd angen i ni ei wneud nawr.

Mae pawb wedi blino. Rhaid gwthio fy hun yn galed i redeg. O'r diwedd caf ail wynt. Cyn bo hir dwi fel petawn i'n cyffwrdd â phob blewyn ar y cae wrth i mi redeg ar ôl y bêl. Mae munud yn weddill ac mae'r ymdrech yn talu ar ei chanfed. Mae eu capten yn codi ei droed yn uchel ac yn fy nghicio yn fy wyneb. Mae'n brifo ond dwi wedi ennill cic rydd ar ymyl y cwrt cosbi.

Dwi'n wfftio'r boen a gosod y bêl yn ei lle. Mae'r golwr yn ceisio trefnu'r mur ond dyw un

o'i amddiffynwyr ddim yn gwrando. Mae e wedi gadael bwlch. Cofiaf gic gosb Beckham i Loegr yn erbyn Gwlad Groeg, a chrymanu fy nhroed am y bêl. Mae hi'n hedfan drwy'r bwlch yn y mur, heibio i flaenau bysedd y golwr ac i gefn y rhwyd.

2–2.

Yn y diwedd ciciau cosb sy'n pennu tynged y gêm. Dwi'n cymryd y gyntaf ac yn sgorio.

Mae eu chwaraewr cyntaf nhw yn methu. Ar ôl hynny, ry'n ni'n sgorio â phob cic o'r smotyn. Felly hefyd Ajax. Yn y diwedd, dim ond i Chris, ein harbenigwr ciciau cosb, sgorio a byddwn ni yn y ffeinal. Mae Chris yn cadw'i ben ac yn gwneud ei waith yn gywir. Mae'n gyrru'r golwr i'r cyfeiriad anghywir.

Ry'n ni yn y ffeinal.

David Beckham

Meistr y Gic Rydd

⚽ Ganwyd David Beckham ar Mai 2, 1975.

⚽ Enillodd deitl Chwaraewr y Byd yn 1999.

⚽ Fe ydy'r unig Sais i sgorio mewn tri Chwpan y Byd gwahanol.

⚽ Helpodd Manchester United i ddod yn brif glwb yr Uwchgynghrair yn y 1990au.

⚽ Enillodd driawd o wobrau, y Gynghrair, Cwpan yr FA a Chynghrair Pencampwyr Ewrop yn 1999.

⚽ Yn Awst 1996 sgoriodd gôl o'r llinell hanner yn erbyn Wimbledon.

⚽ Yng Nghwpan y Byd 1998 cafodd gerdyn coch am gicio chwaraewr Ariannin, Diego Simeone. Collodd Lloegr y gêm honno a cholli eu lle yng Nghwpan y Byd. Roedd llawer o aelodau'r wasg a chefnogwyr yn ffiaidd tuag at Beckham. Ond daeth drwyddi. Cyn bo hir daeth yn un o'r chwaraewyr mwyaf poblogaidd yn Lloegr.

Pennod 6
Carwyn a Cristiano

Ry'n ni'n chwarae yn erbyn Bayern Munich yn y ffeinal. Y tro hwn dwi ddim yn poeni. Dwi ddim wedi gwneud unrhyw gamgymeriadau. Ond mae'n bryd i mi ddangos popeth dwi wedi'i ddysgu hyd yma.

Dwi'n mynd drwy'r gwersi pwysig yn fy mhen. *Cadw fy meddwl ar y gêm a dim byd arall. Chwarae i'r tîm. Rheoli fy nhymer. Chwarae nes yr eiliad olaf yn y gêm*. Dwi'n cael gair sydyn ag un o'm hoff chwaraewyr rhif saith, Cristiano Ronaldo.

Mae'n dweud y dylwn chwarae fy ngêm arferol a mynegi fy hun. Os yw fy sgiliau a'm hagwedd yn iawn, bydd hyn yn dod i'r amlwg ar y cae.

Dwi'n nerfus ar ddechrau'r gêm ond dwi ddim yn ymdrechu'n rhy galed. Dim ond chwarae fel arfer. Dwi'n rhedeg er mwyn ceisio cael y bêl. Yn canfod lle gwag. Dwi'n pasio'r bêl yn gyson i aelodau eraill y tîm. Dwi'n teimlo'n dda. Mae popeth yn teimlo mor naturiol.

Mae Bayern Munich yn sgorio gyntaf o gic gornel. Mae'n ergyd ond dy'n ni ddim yn gwangalonni. Daliwn ati i chwarae. Ychydig cyn hanner amser mae Chris yn curo'i ddyn ac yn croesi'r bêl i'r cwrt cosbi. Dwi'n ei phenio ac yn ei chyfeirio dros y golwr i gefn y rhwyd.

1–1.

Ar ôl yr egwyl mae'r fantais o gael chwarae gartref yn dechrau dod yn amlwg. Bayern sydd â'r llaw uchaf ac mae'n rhaid i mi helpu gyda'r amddiffyn. Mae Bayern yn dal i bwyso ac yn mynd ar y blaen â chwip o gôl. Gallai fod yn waeth gan i mi glirio'r bêl oddi ar linell ein gôl ni ar ôl cic gornel.

O leiaf dim ond 2-1 ydy'r fantais. Dyw hyn ddim yn ddrwg o feddwl am yr holl bwysau a fu arnon ni. Er ein bod yn colli ry'n ni'n dal i fod yn y gêm.

Mae deng munud ar ôl a dwi'n cael y bêl ar y llinell hanner. Mae bechgyn Bayern Munich yn dechrau blino ac maen nhw'n rhoi gormod o le i mi. Rhedaf ymlaen a gadael dau o'u chwaraewyr ar ôl. Dwi wedi bod yn rhedeg ac yn rhedeg. Ychydig funudau yn ôl ro'n i'n chwythu fel ceffyl. Ond yn rhyfedd iawn, dwi ddim yn teimlo wedi blino nawr. Dwi'n teimlo'n gryfach.

Sgipiaf heibio chwaraewr arall a phasio'r bêl i Chris. Mae'n pasio'r bêl yn ôl ata i er mwyn i mi ei tharo o dan gorff y golwr ac i gefn y rhwyd.

2–2.

Tro Bayern yw hi i symud yn ôl nawr. Maen nhw'n amddiffyn yn ddwfn yn agos at eu cwrt cosbi. Pob tro y byddwn ni'n ymosod, maen nhw'n cicio'r bêl yn uchel i'r awyr, neu yn ei chicio dros y llinell. Dydy eu chwaraewyr canol cae ddim yn chwarae'n dda. Maen nhw'n gwylltu. Mae hyn yn dangos eu bod wedi blino'n arw.

Ry'n ni'n manteisio ar hyn. Dim ond pum munud yn weddill, a dwi'n ergydio'r bêl i gornel uchaf y gôl o ganol y cwrt cosbi. Ry'n ni ar y blaen 3–2. Os na fyddwn yn gwneud rhywbeth ffôl, ni biau'r tlws.

Mae Bayern yn ceisio ymosod ond mae pob symudiad yn methu. Mae'r reff yn edrych ar ei oriawr pan welaf Chris yn rhedeg i gyfeiriad y gôl. Dwi'n rhoi pàs hir ac mae'r bêl yn glanio wrth ei draed. Mae'n ochrgamu heibio'r golwr ac yn taro'r bêl i'r rhwyd.

4–2. Does dim modd iddyn nhw ennill erbyn hyn.

Munud yn ddiweddarach mae'r chwiban yn canu. Ry'n ni wedi ennill y cwpan.

Mae Mam a Dad yn aros amdana i pan laniwn ym Maes Awyr Manceinion. Mae'r hyfforddwr yn dweud wrtho i fod gen i ddyfodol disglair.

“Rwyt ti wedi gwneud yn dda,” meddai.

“Mi ges i lawer o help,” atebaf.

Mae Mam a Dad yn meddwl mai sôn am y staff hyfforddi rydw i. Mae’r hyfforddwr yn meddwl mai sôn am fy rhieni rydw i. Maen nhw i gyd yn iawn. Ond mae rhai eraill sydd wedi fy helpu hefyd.

Cristiano Ronaldo

Does ond un Ronaldo

- Ganwyd Cristiano Ronaldo ym Mhortiwgal ar Chwefror 5, 1985.
- Ar 29 Hydref 2005 sgoriodd 1,000fed gôl Manchester United yn Uwchgynghrair Lloegr.
- Enillodd wobr FIFPro 'Chwaraewr Ifanc Arbennig y Flwyddyn' yn 2005.
- Helpodd Christiano Ronaldo United i ddod yn bencampwyr Uwchgynghrair Lloegr yn 2007, 2008 a 2009, ac yn Bencampwyr Cynghrair Ewrop yn 2008.
- Sgoriodd gyfanswm o 118 o goliau i Manchester United.
- Yn 2009 cafodd Ronaldo ei enwi'n Chwaraewr FIFA Gorau'r Byd.
- Cafodd ei drosglwyddo i Real Madrid yng Ngorffennaf 2009 am record o £80 miliwn.

Hefyd yn y gyfres ...

Y Lleidr Hud

CATHERINE FISHER

Doedd Gwion heb *fwriadu* dwyn hud y wrach.

Ond dyna sut yr aeth o fod yn was bach i un oedd yn gallu newid ei siâp. Y dewin mwya pwerus yn y wlad? Efallai'n wir – ond a fydd e'n gallu achub tywysog sy mewn trybini?

Myrddin, y Bachgen Arbennig

TONY BRADMAN

Roedd Myrddin yn gwybod yn iawn ei fod yn wahanol i'r bechgyn eraill. Ond doedd ganddo ddim syniad pa mor wahanol.

Roedd grymoedd gan Myrddin. Hud a lledrith. Roedd e'n gallu llunio'r dyfodol. Byddai'r byd yn cofio'i enw.

Ond yn gyntaf, rhaid iddo wneud yn siŵr nad yw'r Brenin yn ei ladd ...

Melltith Teulu Lambton

MALACHY DOYLE

Mae bwystfil ofnadwy'n rhydd! Hen fwydyn drewllyd a dieflig. Lambton Bach sydd ar fai am bob dim. Fe oedd yn gyfrifol am ei ollwng yn rhydd.

A fydd Lambton Bach yn llwyddo i ladd y bwystfil a gwneud popeth yn iawn ... neu fydd e'n marw wrth geisio gwneud hynny?

Llofrudd y Camera

ALAN GIBBONS

Roedd eu llygaid yn rhythu. Roedd eu cegau ar agor. Roedden nhw'n sgrechian.

Pan mae Aled yn gweld y dyn â'r camera am y tro cyntaf, mae'n gwybod bod rhywbeth mawr o'i le. Ond does neb yn fodlon gwrando arno, dim hyd yn oed pan fydd ei fam a'i dad yn diflannu.

All Aled ddod o hyd i'r dyn unwaith eto – ac os fydd e'n llwyddo, all e gael ei rieni 'nôl?